Santo Rosario

Incluye Misterios Luminosos

Buena Prensa

Santo Rosario

ISBN: 978-607-8492-36-7
Primera edición: febrero de 2017
Tercera reimpresión: agosto de 2023

México
www.buenaprensa.com

Impreso en México por Comercializadora O. M., S. A. de C. V.

Andate dunque, e fate discepoli

Go then, and make disciples of all the nations

"Vayan y hagan discípulos entre todos los pueblos"

Mateo 28:19

Allez, faites de toutes les nations des disciples

Joan eta herri guztien artean ikasleak egiteko

Hambani nenze izizwe zonke abafundi phakathi kwazo

Presentación

El Rosario, una de las devociones marianas más extendidas en el pueblo cristiano. "Es el rezo de la Iglesia, en que se conmemoran los veinte misterios principales de la vida de Jesucristo y de la Virgen, recitando después de cada uno un Padrenuestro, diez Avemarías y un Gloria al Padre." De esta forma están mencionados los elementos esenciales que lo constituyen, a los que se añaden, según las regiones y devociones, otros también importantes.

Podemos decir que el Rosario está formado por pasajes evangélicos muy importantes para nuestra vida cristiana:

los misterios, ordenados en cuatro grupos: Gozosos, Dolorosos, Gloriosos y Luminosos, son pasos decisivos de Jesús y de María que nos llevan de la Anunciación hasta la Institución de la Eucaristía; la oración que Jesús nos enseñó para dirigirnos al Padre, y la que la tradición de la Iglesia ha elaborado para saludar a María, empleando en parte las palabras que le dirigieron el Ángel y su prima Isabel y, como corona de cada decena de Avemarías, la alabanza trinitaria.

Hay que añadir que son partes esenciales del Rosario la meditación de los misterios, sin la que su rezo quedaría como un cuerpo sin alma.

Breve historia del Santo Rosario

El Santo Rosario es una de las devociones más populares entre los católicos de todo el mundo. Su nombre formal es "El Santo Rosario de la Santísima Virgen María". Historiadores de la Iglesia lo conocen por otros nombres también, es decir, el Rosario dominico, el Rosario mariano y el Rosario *Vita Christi* o vida de Cristo, para distinguirlo de las otras oraciones católicas que usan cuentas.

El Santo Rosario fue creado por Santo Domingo de Guzmán (1170-1221), el español que fundó la Orden de Predicadores entre 1205 y 1208. Desde el siglo quince en adelante los dominicos fueron los promotores principales del Rosario. Sin embargo, estudios recientes sugieren que los primeros grupos que combinaron la repetición del Avemaría con la meditación de misterios fueron otras órdenes religiosas, en Prusia, cerca del año 1300.

A través de los siguientes 250 años la devoción se extendió por toda Europa, alcanzando a los laicos por medio de cofradías voluntarias y libros ilustrados. Había numerosas versiones que hacían competencia, algunas que sugerían sólo cinco misterios y otras que recomendaban hasta 200. El asunto no se resolvió hasta 1569. En ese año el Papa San Pío V, quien era él mismo de la Orden de Predicadores, publicó una carta apostólica que estableció el formato de quince misterios como la versión oficial del Santo Rosario, autorizado por la Iglesia.

La Iglesia celebra la fiesta de Nuestra Señora del Rosario el día 7 de octubre. Esta conmemoración recuerda que en 1571 fuerzas cristianas derrotaron a la fuerza naval turca (musulmana) en la batalla marítima de Lepanto, cerca de la costa poniente de Grecia. El Papa San Pío V había solicitado que todos los cristianos rezaran el Rosario para lograr la victoria.

Modificación al Santo Rosario

El Santo Padre, el 16 de octubre del año 2002, en el 24 aniversario de su pontificado, nos presenta su Carta apostólica sobre el Rosario en la que agrega cinco misterios, llamados "Luminosos". Es la primera reforma al Rosario desde que Santo Domingo lo introdujo. Hace hincapié sobre **la actualidad e importancia de rezar el Rosario para alcanzar la paz y llamó a los cristianos a redescubrir su belleza y profundidad**. Juan Pablo II, amado en todo el mundo, "Marchó a la casa del Padre" el sábado 2 de abril del 2005, víspera del día del Señor de la Misericordia; su sucesor, el Papa Benedicto XVI.

Los **nuevos** misterios **Luminosos** de la vida pública de Jesucristo son:

1. El bautismo de Cristo en el Jordán (cfr. Mt 3, 17).

2. Autorrevelación de Jesús en las bodas de Caná (cfr. Jn 2, 1-12).

3. El Anuncio del Reino de Dios, invitando a la conversión (cfr. Mc 1, 15; Mc 2, 3-13; Lc 7, 47-48).

4. La Transfiguración (cfr. Lc 9, 35).

5. Institución de la Eucaristía (cfr. Mc 14, 22-25; Mt 26, 26-29; Lc 22, 19-20; 1 Cor 11, 23-25; Jn 13, 1).

El Papa sugiere el siguiente nuevo orden para la meditación semanal:

Lunes y sábado:	**Gozosos**
Martes y viernes:	**Dolorosos**
Miércoles y domingo:	**Gloriosos**
Jueves:	**Luminosos**

Todo el misterio de Cristo es luz. Él es "la luz del mundo" (Jn 8, 12). El Papa nos ofrece la meditación de la vida de Jesucristo para que con Él brillemos en este mundo tan necesitado de su Luz.

Misterios del Santo Rosario

Durante la oración del Santo Rosario se meditan los misterios de nuestra fe. En cada Rosario meditamos 5 misterios seguidos cada uno por un Padrenuestro y diez Avemarías.

Los misterios que se meditan están distribuidos en cuatro grupos: Gozosos, Dolorosos, Gloriosos y Luminosos. La meditación es la parte más importante del Rosario. A medida que decimos las oraciones verbalmente, vamos pensando en los principales misterios de nuestra Redención.

Según la tradición, la reflexión de los misterios es la parte del Rosario que la Virgen le explicó a Santo Domingo con mucho cuidado. Cuando pensamos en Jesús, meditando los misterios de la revelación, profundizamos nuestra fe y valoramos lo que Él ha hecho por nosotros. La mejor forma de lograr esa meditación es hacerla con su Santísima Madre, la Virgen María. Empezamos a comprender, a la vez, el gran papel que tiene María en nuestra Redención. Los misterios del Rosario nos acercan más a Jesús y a María.

Por la señal de la Santa Cruz

En el nombre del Padre, del Hijo, y del Espíritu Santo. Amén.

Señor mío Jesucristo, Dios y Hombre verdadero, me pesa de todo corazón de haber pecado, porque he merecido el infierno y perdido el cielo, y sobre todo, porque te ofendí a Ti, que eres bondad infinita, a quien amo sobre todas las cosas. Propongo firmemente con tu gracia, enmendarme y alejarme de las ocasiones de pecar y cumplir la penitencia. Confío que me perdonarás por tu infinita misericordia.

Amén.

¡Abre, Señor, mis labios y mi boca
proclamará tu alabanza!
Gloria al Padre, al Hijo,
y al Espíritu Santo.
Como era en un principio,
ahora y siempre,
por los siglos de los siglos.

Amén.

Santo Rosario

Misterios Gozosos

Lunes y sábado

56.

1

La Anunciación

El Ángel Gabriel se presenta ante la Virgen y le anuncia que será Madre de Jesús. Ella se humilla diciendo: "He aquí la esclava del Señor, hágase en mí según tu palabra".

(Lc 1, 26-38)

Por este misterio pedimos a la Santísima Virgen aprender a ser humildes.

2

La Visitación

(de María a su prima Santa Isabel)

Y habiendo entrado en la casa de Zacarías, saludó a Isabel. Lo mismo fue oír Isabel la salutación de María, que la criatura o el niño Juan dio saltos de placer en su vientre, e Isabel se sintió llena del Espíritu Santo.

(Lc 1, 40-41)

En este misterio pedimos a la Santísima Virgen aprender a ser caritativos.

3

El Nacimiento de Jesús

Y es que hoy os ha nacido en la ciudad de David el Salvador, que es Cristo o Mesías del Señor nuestro.

Y os servirá de seña, que hallaréis al niño envuelto en pañales y reclinado en un pesebre.

(Lc 2, 11-12)

En este misterio pedimos a la Virgen María poder ser desprendidos de lo material.

4

La Presentación del Niño Jesús en el Templo

Obedeciendo las leyes de su pueblo, la Virgen María lleva el Niño Jesús al Templo para presentarlo al Señor.

(Lc 2, 21-35)

Pidamos a la Santísima Virgen la virtud de la obediencia.

5

El Niño perdido y hallado en el Templo

Jesús se ha perdido. Tiene doce años.

Acongojada y afanosamente la Virgen lo busca con resignación durante tres días.

(Lc 2, 41-52)

Pidamos a María gran resignación cristiana ante la adversidad.

Santo Rosario

Misterios Dolorosos

Martes y viernes

1

La agonía en el Huerto

La noche antes de su muerte en la cruz, Jesús, que siendo Dios sabía que lo iban a crucificar, sube al Monte de los Olivos a rezar. De rodillas, bajo el peso de todos nuestros pecados, Jesús se llena de tristeza y suda sangre.

(Lc 22, 39-46)

Pidamos a la Santísima Virgen aprender a orar.

2

La Flagelación de Nuestro Señor Jesucristo

Jesús es cruelmente azotado.

(Jn 18, 33-19)

Pidamos a la Santísima Virgen aprender a sufrir.

3

La Coronación de Espinas

Pusieron a Jesús una corona de espinas para burlarse, se arrodillaban delante de él, le abofeteaban y escupían. En silencio, Jesús sufre para salvarnos.

(Mc 15, 16-20)

Pidamos a la Virgen aprender a aceptar pacientemente las humillaciones.

4

Jesucristo, la cruz a cuestas y camino al Calvario

Cargando con la cruz, Jesús marcha penosamente. Ni una queja sale de sus labios. Con ella salvará a las almas que tanto ama.

(Lc 23, 26-32)

Pidamos a la Santísima Virgen aprender a aceptar y amar nuestra cruz.

5

La Crucifixión y Muerte de Nuestro Señor

Y después de haberlo crucificado, repartieron sus ropas, echando suertes sobre la parte que había de llevar cada uno.

Mas Jesús dando un gran grito, expiró.

(Mc 15, 24-37)

En este misterio pidamos el favor de alcanzar una muerte en gracia de Dios.

Santo Rosario

Misterios Gloriosos

Miércoles y domingo

1

La Resurrección del Señor

Ya no está aquí, porque ha resucitado según predijo. Venid, mirad el lugar donde estaba sepultado el Señor.

(Mt 28, 2-8)

Pidamos a la Virgen María resucitar como Cristo, por medio de una sincera confesión.

2

La Ascensión del Señor

Unos días después de su Resurrección, estando con los Apóstoles en el Monte de los Olivos, Jesús fue elevándose hacia el cielo hasta desaparecer.

(Hech 1, 8-9)

Pidamos a la Santísima Virgen ascender diariamente en nuestra vida espiritual.

3

La Venida del Espíritu Santo sobre la Virgen María y los Apóstoles

Luego de la partida de Jesús, estando los Apóstoles desanimados y tristes, descendió sobre ellos el Espíritu Santo y los llenó de fuerza y valor para difundir en todo el mundo, las enseñanzas de Cristo.

(Hech 2, 1-4)

Pidamos a la Santísima Virgen que el Espíritu Santo nos ilumine para cumplir siempre la voluntad de Dios.

4

La Asunción de la Virgen Santísima

La Santísima Virgen es llevada en cuerpo y alma al cielo.

(Rom 6, 5)

Pidamos a Dios vivir como lo hizo María aquí en la tierra, con sencillez y humildad.

PVLCHRA
ES MARIA ET MACVLA
NON EST INTE

5

La Coronación de la Virgen Santísima como Reina de los Cielos y la Tierra

En el Cielo, la Santísima Virgen María es coronada como Reina del Cielo y de la Tierra.

(Apoc 12, 1)

Pidamos a Dios la verdadera y filial devoción a María y la gracia de imitar fielmente sus virtudes, para alcanzar el Cielo.

Santo Rosario

Misterios Luminosos

Jueves

1

El Bautismo de Cristo en el Jordán

Y una voz que salía de los cielos decía: "Éste es mi Hijo amado en quien me complazco".

(Mt 3, 17)

Pidamos a Dios ser siempre fieles a nuestro Bautismo.

2

Autorrevelación de Jesús en las bodas de Caná

Tres días después se celebraba una boda en Caná de Galilea y estaba allí la Madre de Jesús. Fue invitado también a la boda Jesús con sus discípulos. Y, como faltase vino, dice a Jesús su Madre: «No tienen vino.» Jesús le responde: «¿Qué tengo yo contigo, mujer? Todavía no ha llegado mi hora.» Dice su Madre a los sirvientes: «Haced lo que él os diga.»

(Jn 2, 2-5)

Pidamos al Señor vivir siempre en la alegría de su gracia.

3

El Anuncio del Reino de Dios, invitando a la conversión

«El tiempo se ha cumplido y el Reino de Dios está cerca; convertíos y creed en la Buena Nueva.»

(Mc 1, 15)

Pidamos al Señor ser pregoneros incansables de su Evangelio con nuestras palabras y nuestras acciones.

4

La Transfiguración

...se formó una nube y los cubrió con su sombra; y al entrar en la nube, se llenaron de temor.

Y vino una voz desde la nube, que decía: «éste es mi hijo, mi Elegido; escuchadle.»

(Lc 9, 34-35)

Pidamos la pureza de corazón en todos nuestros pensamientos y acciones.

5

Institución de la Eucaristía

Después de acabada la cena tomó el pan, dio de nuevo gracias, lo partió y dióselo: éste es mi cuerpo, el cual se da por vosotros: haced esto en memoria mía. Del mismo modo tomó el cáliz, después que hubo cenado, diciendo éste es el cáliz de la nueva alianza sellada con mi sangre, que se derramará por vosotros.

(Lc 22, 19-20)

Pidamos al Señor que aumente cada día nuestro amor y devoción a la Eucaristía.

Al terminar los misterios

Se reza un Padrenuestro y después:

Dios te salve, María Santísima, Hija de Dios Padre, Virgen purísima antes del parto, en tus manos encomiendo mi fe para que la ilumines, llena eres de gracia... etcétera.

Dios te salve, María Santísima, Madre de Dios Hijo, Virgen purísima en el parto, en tus manos encomiendo mi esperanza para que la alientes, llena eres de gracia... etcétera.

Dios te salve, María Santísima, Esposa de Dios Espíritu Santo, Virgen purísima después del parto, en tus manos encomiendo mi caridad para que la inflames, llena eres de gracia... etcétera.

Dios te salve, María Santísima, Templo y Sagrario de la Santísima Trinidad, Virgen concebida sin la mancha del pecado original:

Dios te salve, Reina y Madre de misericordia, vida, dulzura y esperanza nuestra.

Dios te salve, a ti llamamos los desterrados e hijos de Eva, a ti suplicamos gimiendo y llorando, en este valle de lágrimas.

Ea, pues, Señora abogada nuestra, vuelve a nosotros esos tus ojos misericordiosos, y después de este destierro muéstranos a Jesús, fruto bendito de tu vientre.

¡Oh clemente, oh piadosa, oh dulce
Virgen María!

Letanía

Señor, ten piedad de nosotros.
Señor, ten piedad de nosotros.
Cristo, ten piedad de nosotros.
Cristo, ten piedad de nosotros.
Señor, ten piedad de nosotros.
Señor, ten piedad de nosotros.
Cristo, óyenos.
Cristo, óyenos.
Cristo, escúchanos.
Cristo, escúchanos.
Padre Celestial, que eres Dios.
Ten piedad de nosotros.
Hijo Redentor del mundo, que eres Dios.
Ten piedad de nosotros.
Espíritu que eres Dios.
Ten piedad de nosotros.
Santísima Trinidad, que eres un solo Dios.
Ten piedad de nosotros.

Santa María,
Santa Madre de Dios,
Santa Virgen de las Vírgenes,
Madre de Jesucristo,
Madre de la Iglesia,
Madre de la Divina Gracia,
Madre Purísima,
Madre Castísima,
Madre Virgen,
Madre Incorrupta,
Madre Inmaculada,
Madre Amable,
Madre Admirable,
Madre del Buen Consejo,
Madre del Creador,
Madre del Salvador,
Virgen Prudentísima,
Virgen Venerable,
Virgen Laudable,
Virgen Poderosa,
Virgen Misericordiosa,
Virgen Fiel,

RUEGA POR NOSOTROS

Espejo de Justicia,
Trono de la Eterna Sabiduría,
Causa de Nuestra Alegría,
Vaso de Verdadera Devoción,
Vaso Precioso de la Gracia,
Vaso Espiritual de Elección,
Rosa Mística,
Torre de David,
Torre de Marfil,
Casa de Oro,
Arca de la Alianza,
Puerta del Cielo,
Estrella de la Mañana,
Salud de los Enfermos,
Refugio de los Pecadores,
Consuelo de los Afligidos,
Auxilio de los Cristianos,
Reina de los Ángeles,
Reina de los Patriarcas,
Reina de los Profetas,
Reina de los Apóstoles,
Reina de los Mártires,

RUEGA POR NOSOTROS

Reina de los Confesores,
Reina de las Vírgenes,
Reina de Todos los Santos,
Reina Concebida sin la
Culpa Original,
Reina Elevada al Cielo,
Reina del Santísimo Rosario,
Reina de la Paz.

RUEGA POR NOSOTROS

Al terminar la letanía se reza:

Cordero de Dios que quitas los pecados del mundo...
Perdónanos, Señor.
Cordero de Dios que quitas los pecados del mundo...
Óyenos, Señor.
Cordero de Dios que quitas los pecados del mundo...
Ten piedad y misericordia de nosotros.

Bajo tu amparo nos acogemos, Santa Madre de Dios, no desprecies las oraciones que te dirigimos en nuestras necesidades, antes bien líbranos de todo peligro, oh Virgen Gloriosa y Bendita.

Ruega por nosotros Santa Madre de Dios. Para que seamos dignos de alcanzar las gracias y misericordias de Jesucristo Nuestro Señor. Amén.

Ofrecimiento del Santo Rosario

Por estos misterios santos, de que hemos hecho recuerdo, te pedimos, ¡oh María!, de la fe santa el aumento, la exaltación de la Iglesia, del Papa el mejor acierto, de la Nación Mexicana, la unión y feliz gobierno. Que el gentil conozca a Dios, que el hereje vea sus yerros y todos los pecadores, tengamos arrepentimiento. Que los cautivos cris-tianos, sean libres de cautiverio, goce puerto el navegante, y salud a los en-fermos. Que en el Purgatorio logren las ánimas refrigerio, y que este santo ejercicio tenga aumento tan completo en toda la cristianidad, que alcancemos por tu medio, el ir a alabar a Dios, en tu compañía en el Cielo. Así sea.

Santa Teresita del Niño Jesús...
Ruega por las misiones.

San Francisco Javier...
Ruega por las misiones.

Oremos:

Oh Dios, cuyo Unigénito Hijo, con su vida, muerte y resurrección, nos granjeó el premio de la salud eterna: danos a los que recordamos estos misterios del Santo Rosario, imitar lo que contienen y alcanzar lo que prometen.

Por el mismo Jesucristo, nuestro Señor.

Amén.

Por la señal de la Santa Cruz...

Índice

Buena Prensa